Les plus belles
histoires du
Père Castor
qui font grandir

www.editions.flammarion.com

Conception graphique : Flammarion

Éditions Flammarion (n° L.01EJDN001212.N001)
87, quai Panhard-et-Levassor – 75647 Paris Cedex 13
ISBN : 978-2-0813-7479-9 – Dépôt légal : août 2016
Imprimé en Espagne par Graficas Estella en juin 2016
Loi n° 49-956 du 16 juillet 1949 sur les publications destinées à la jeunesse

Les plus belles histoires du
Père Castor
qui font grandir

Père Castor ● Flammarion

Le seul roi c'est moi !

René Gouichoux, illustrations de Laurent Richard

Tous les matins, dès son réveil, Roi traverse la galerie
des ancêtres. Il salue les anciens, et vérifie dans le miroir
que sa couronne est bien en place.

Et il proclame, devant la glace :
– Qui est le roi ? C'est moi. Et pourquoi ?
Parce que c'est comme ça !

Allez, hop ! direction la cuisine.
Sa mère l'accueille comme il se doit :
– Mon petit roi ! dit-elle, en lui tendant les bras.
– C'est bien vrai, Maman, que je suis le roi ?
– Mais bien sûr, mon petit roi à moi.
– Tu es d'accord, Papa ?
– Ah ça, dit son père,
plus roi que toi,
je ne vois pas...

Maintenant, pour Roi, la journée peut vraiment commencer.
Il déjeune, puis nage, pêche, chasse, danse, dîne.

Le soir, avant de se coucher, Roi reste longtemps à contempler
sa couronne. Il l'astique, il la bichonne, et même... il l'embrasse.

Et puis un jour, la mère de Roi s'en va à la clinique.
C'est normal, elle attend un bébé.
Le père de Roi l'accompagne.
Et la tata de Roi vient pour garder son neveu.
Pour lui, rien ne change.
Il déjeune, puis nage, chasse, pêche, danse, dîne.

Toute la journée, Roi s'assure que sa couronne est bien en place,
sur sa tête. Et il répète, devant la glace :
– Qui est le roi ? C'est moi. Et pourquoi ?
Parce que c'est comme ça !

Et puis, quelques jours plus tard, drinn...

drinn, la porte d'entrée s'ouvre,

et la maman de Roi apparaît

avec son nouveau bébé dans les bras.

C'est encore normal, puisqu'il, euh... "elle" est née.

Maman se penche vers Roi.

– Regarde, mon chéri, voici ta petite sœur.

– Tu parles d'un p'tit moustique !

– Tu veux bien lui donner un bisou ? demande sa mère.

– Oui, d'accord, répond Roi.

Roi donne un bisou du bout des lèvres au bébé.

– Tiens, p'tit moustique !

Et là, stupeur, que voit-il ?

"Elle" porte une couronne. Une petite couronne,

mais une couronne cependant ! Et ça, Roi ne le supporte pas.

Le seul roi, c'est lui. Il porte une couronne depuis si longtemps !

« Mais c'est impossible », se dit-il.

Il est catastrophé :

– Maman ! gémit-il, elle a... elle a une couronne.

– Ben oui, mon chéri, c'est normal, ta petite sœur est une reine.

– Mais... mais... mais... bégaie Roi.

Mais Maman a bien d'autres choses à faire
que de s'occuper de Roi.

Il faut changer le bébé, le laver, lui mettre du talc.

Roi interroge son père. Et son père lui répond :

– Elle est belle, ta sœur, n'est-ce pas ? C'est la plus jolie reine
de tout le pays !

– Mais... mais... mais... bégaie Roi.

Mais Papa a bien d'autres choses à faire que de s'occuper de Roi.

Il faut préparer le biberon, installer le lit et les jouets qui font
de la musique.

Roi bondit dans le couloir, jusqu'à la galerie des ancêtres.

Eux vont l'écouter, c'est sûr.

– Vous comprenez, dit Roi, ce n'est pas possible !

Dans leurs tableaux, les ancêtres restent muets.

– Ah ! je vois, dit Roi. Vous ne dites rien, vous pensez
sans doute que ma sœur
doit aussi être reine.

Vous êtes de son côté, voilà tout.

Roi s'approche rageusement du tableau de Pépé Léon.
Il se colle presque à son visage pour lui parler :
— Tu comprends, Pépé Léon, je veux être le seul roi,
ce n'est pas plus compliqué que cela !

Soudain, Roi croit entendre Mémé Caroline. Il se précipite :
— Comment ? Que dis-tu, Mémé Caroline ? Que ma petite sœur
a l'air gentille ? Et toi, Arrière-Mémé Lili, dis-moi donc
ce que tu marmonnes ! Qu'elle est jolie peut-être ?
Bravo, poursuit Roi. C'est tout ce que vous avez trouvé.
Eh bien, qu'elle soit gentille et jolie, et...
je ne sais pas quoi encore... je m'en fiche !
De colère, Roi a crié dans le couloir. Il ajoute en disparaissant :
— Et vous allez voir !

Dès cet instant, Roi n'a plus qu'une seule idée :
dérober la couronne de Reine. S'en emparer. Se l'approprier.
Cependant, Roi est malin :
– Surtout, ne pas attirer l'attention, décide-t-il.
Il me faut agir discrètement.

Il guette de longues minutes.
Bientôt, c'est l'heure de la tétée. Le moment rêvé.
Roi s'approche tranquillement, l'air de rien.
Il se glisse contre sa mère, lui fait un gros câlin.
Mais en même temps, il tend le bras doucement,
très doucement, vers la tête de sa petite sœur.
– Ma parole, le taquine sa mère, tu veux encore biberonner.
Mais tu es trop grand pour ça, mon chéri.
Elle le repousse gentiment.
– Raté ! soupire Roi.

Roi reprend son poste de guet, une fois encore.

Hoho ! la poussette est de sortie.

Sa mère installe le bébé.

– Voilà, dit-elle, je vais chercher la petite couverture,

et en avant pour une grande promenade !

– C'est bon, dit Roi, à moi de jouer.

Il s'approche, soulève le petit drap.

Ça y est, il va atteindre la couronne.

Ah, zut ! Maman est revenue.

– Elle est jolie, ta petite sœur, tu ne trouves pas ? dit Maman.

Roi ne répond rien, et s'en va.

– Encore raté ! grommelle-t-il pour lui-même.

Les bébés, ça dort et ça tète. Après la tétée, la promenade
du matin. Après la promenade, la tétée du midi. Puis la sieste !
Voilà l'occasion.
La mère de Roi quitte la chambre du bébé.
– Fais de beaux rêves, ma petite reine !
Roi attend que sa mère ait franchi le bout du couloir, et hop !
il se glisse dans la chambre, et re-hop ! pas plus dur que ça,
il s'empare de la couronne. Et voilà !

Vite, il faut que les ancêtres voient cela.

Roi s'engage dans la galerie, comme pour une parade militaire.

Dans le creux de sa main, il présente son trophée : la couronne de sa sœur.

– Hé, les anciens, vous avez vu ?

Dans leurs tableaux, les ancêtres ne pipent mot.

– Ben keskya ? demande Roi. Allez,
je vous écoute, parlez !

Dans leurs tableaux, les ancêtres
sont toujours aussi silencieux.

– Ah, je vois, dit Roi, vous pensez
sans doute que c'était trop facile.
Un combat contre un bébé ! Moquez-vous,
les anciens, moquez-vous ! Il n'empêche :
la couronne, je l'ai, là.

Roi désigne le creux de sa paume.

– Comment ? grogne Roi, qu'est-ce que j'entends ? Que j'ai l'air
ridicule ? Mais, pas du tout. Je suis roi, et elle... elle...

Roi répète à nouveau :

– Moi je suis roi, et elle...

C'est difficile pour Roi tout à coup.

Il regarde cette petite couronne dans le creux de sa main,
et il n'est pas très fier.

Il se tourne vers les ancêtres.

– Allez, semble dire Mémé Caroline dans son cadre.

– Courage ! paraît ajouter Arrière-Mémé Lili.

– Soyons forts, a l'air de commander Pépé Léon.

– Bon, d'accord, admet soudain Roi. J'ai l'air ridicule.

Et qu'elle soit reine, ma sœur, après tout, je m'en fiche.

D'ailleurs, sa couronne, je vais la lui rendre, et pas plus tard
que maintenant.

Roi traverse la maison d'un air décidé.

Il entre dans la chambre de Reine. Elle est réveillée, et gigote
dans son lit.

– Tiens, dit Roi, voilà ta couronne, p'tit moustique.

En entendant la voix de son frère, Reine lui sourit.
– Tu peux sourire, dit Roi, je te rends ta couronne,
mais je ne te connais pas ! Regarde !
Et voilà Roi qui grimace, avec sa bouche, son nez,
ses doigts, sa langue.
Et plus Roi grimace, plus Reine sourit.

Soudain, Maman et Papa entrent dans la chambre.

– Oh, s'exclame Maman, on s'amuse bien par ici !

– Ah ça, dit Papa, seul un grand roi peut faire sourire
ainsi une reine. Je suis fier de toi, mon fils.

Roi ne sait pas quoi dire.

– Heu, répond-il, j'étais seulement venu…

Maman s'agenouille près de lui.

Elle prend Roi dans ses bras, et lui murmure :

– Tu étais venu lui dire que tu l'aimes,

tout simplement, mon grand roi.

Roi ne répond rien, mais il est très fier.

Il se précipite vers les ancêtres. Il raconte ses grimaces,
les sourires de Reine, les compliments de ses parents.

Et il ajoute, en souriant :

– Vous savez, les anciens, finalement, comme reine,
elle n'est pas si mal, ma petite sœur.

Et quand il quitte le couloir des ancêtres,

Roi est certain de les entendre s'écrier :

– Vive le roi ! Vive la reine !

Fanny veut être grande

Kochka, illustrations de Philippe Diemunsch

Fanny a quatre ans, et son frère Maxime en a huit.

Alors Fanny a peu de droits, et Maxime en a plein.

Par exemple, Maxime va acheter le pain tout seul, et le soir,

il peut lire dans son lit. Quant à Fanny, elle peut aller au square

si Maman a le temps, et si Fanny reste jouer près d'elle.

Enfin le soir, elle se couche quand on lui dit, sans discuter.

Fanny rouspète.

Fanny trouve que c'est injuste.

– Non, c'est normal, dit Maxime.

Je suis deux fois plus grand que toi !

– Tu mens, c'est faux ! crie Fanny.

– Ah bon, répond Maxime. Alors dis-moi,

4 + 4 combien ça fait ?

– Je ne sais pas, pleurniche Fanny. Je suis trop petite.

– Voilà ! répond Maxime. Tu es une naine et je suis un géant.

Fanny s'énerve et se jette sur Maxime.

– Je ne suis pas naine ! Moi aussi je suis géante !

Les vacances de Pâques approchent,
et le centre de loisirs propose un séjour à la montagne.
Maxime n'est pas certain que ce soit une bonne idée.
– Allez, lui dit Papa, sept jours sans avoir ton papa
et ta maman sur le dos ! La liberté quoi ! Le bonheur !
– Bon d'accord, finit par dire Maxime.
– Tu verras, lui dit Papa, quand tu reviendras,
tu seras un homme !
« Ah bon ? » s'étonne Fanny rongée par la jalousie.
Et elle dit :
– Moi aussi je veux partir !
– Toi, ma Fannette, on verra quand tu seras grande, dit Maman.
– Je suis grande ! crie Fanny en envoyant rouler le chat.

Le jour du départ, Maxime monte dans le train
avec d'autres enfants. Ils chantent, rient,
et ils mangent des bonbons.
Le train démarre. Sur le quai, les parents
agitent les bras et envoient des baisers.
Mais Fanny ne fait rien. Fanny boude.
Elle enrage. Elle n'est pas si petite que ça !
Elle aurait pu partir aussi !

Trois jours plus tard, le facteur dépose une lettre de Maxime.
Fanny veut l'ouvrir tout de suite !
– Non, dit Maman en posant l'enveloppe sur la table.
Attendons le retour de Papa.

Fanny n'arrête pas de passer
et repasser devant l'enveloppe.
Quand Papa arrive en fin
d'après-midi, elle crie
en attrapant le chat :
– Venez vite ! Il faut lire
la lettre de Maxime !

Lorsque tout le monde est assis sur le canapé,

Papa ouvre l'enveloppe. Deux feuilles sont pliées dedans.

La première est un dessin pour Papa et Maman.

C'est un dragon furieux face au chevalier Maxime

qui tient une grande épée. Des mots sont écrits dans le feu

qui sort de la bouche du dragon.

Ils disent : « J'ai vu une cascade. Bisous. »

La deuxième feuille est pour Fanny. Le cœur battant,
elle la déplie. Une fleur est à l'intérieur.
Maman lit ce qui est écrit dessous : « Tu es presque géante.
Ici c'est super ! Bientôt tu partiras aussi ! »
Jamais Fanny n'a reçu une lettre aussi gentille.
D'un bond, elle saute du canapé.

Fanny court chercher sa boîte de feutres et un papier,
puis demande :

– Maman, est-ce que tu peux écrire « bisous » ?

Maman écrit le mot, et Fanny l'entoure de plein de cœurs
et d'étoiles. Ensuite, Maman écrit l'adresse sur une enveloppe
et elle colle un beau timbre.

– Je vais la poster ! dit Fanny en enfilant ses chaussures.

– Je t'accompagne, dit Maman.

– Non ! crie Fanny. C'est ma lettre, j'y vais toute seule !

– Laisse-la y aller, dit Papa en souriant à Maman.

Fanny part comme une flèche en serrant sa lettre fort.

En faisant attention à ne pas tomber, elle descend les escaliers.

Au rez-de-chaussée, elle monte sur la pointe de ses pieds

et appuie sur le bouton ; puis avec ses fesses et son dos,

elle pousse la porte du hall. La boîte aux lettres

est sur le trottoir devant l'immeuble. En haut,

Papa est sorti sur le balcon pour suivre Fanny des yeux.

Quand elle revient, Fanny est toute rouge et essoufflée.

– J'ai couru très vite, dit-elle, pour pas que la police m'attrape.

Sinon, elle aurait cru que j'étais perdue. Et une dame m'a aidée pour atteindre le trou des lettres !

Fanny a gagné ! Elle se sent une géante !

– Bravo ma grande ! dit Maman.

– Je suis fier de toi ! dit Papa.

Et il l'attrape et la soulève jusqu'au plafond.

Pipi Caca Popot!

Magdalena, illustrations de Claire Frossard

Ce matin, Maman a un cadeau
pour Lola, un beau pot jaune.

– Tiens Lola, c'est pour toi,
c'est pour faire...

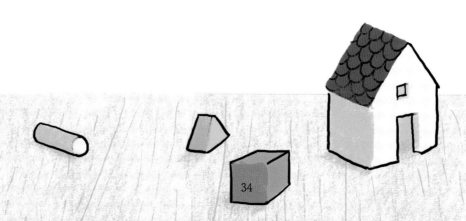

– Merci !

Maman n'a pas le temps
de finir sa phrase,
Lola est déjà loin !

Lola met le pot sous ses fesses
pour cueillir des marguerites.
– Troué ce tabouret-pot !

Lola met le pot sur sa tête
pour se protéger du soleil.
– Trop chaud ce chapeau-pot !

Lola installe son ours dans le pot.

– Roule pas cette auto-pot !

– C'est l'heure du bain ! dit Maman.

Lola rentre avec son pot
et le met dans la baignoire.
– Flotte pas ce bateau-pot !

– C'est l'heure de manger !
dit Maman.

Lola donne à manger à son ours.
– Pas assez grand ce plateau-pot !

– C'est l'heure de faire pipi,
dit Maman en montrant le pot.

– C'est un pipi-pot ?
demande Lola.
– Oui, c'est un petit pot
pour toi, dit Maman.

– Il est juste bien, dit Lola en essayant le pot.
Mais j'en veux un autre, un rouge.

– Un autre ? demande Maman étonnée.
Pour quoi faire ?

– Pour mon ours, pour qu'il fasse
trois petites crottes comme moi.
Regarde, dit Lola, toute contente d'elle
en montrant son pot.

Le petit roi bien qu'il faut et son petit bonobo

Nadine Brun-Cosme, illustrations de Laurent Richard

Chez ce petit roi, tout était comme il faut :
la veste rouge juste à la bonne longueur,
les bottes bien cirées, l'épée fixée solidement au côté,
et la couronne plantée droit sur la tête.

Chez ce petit roi, tout était parfait... sauf son petit bonobo.
Il l'avait rencontré bien avant d'être roi.
Avec lui il courait, avec lui il sautait,
avec lui il faisait de l'équilibre et jouait de l'accordéon.
Avec lui il adorait chanter, crier, hurler dans le palais.
Et tout cela en compagnie de Lola, une petite princesse
très délurée qu'il adorait.

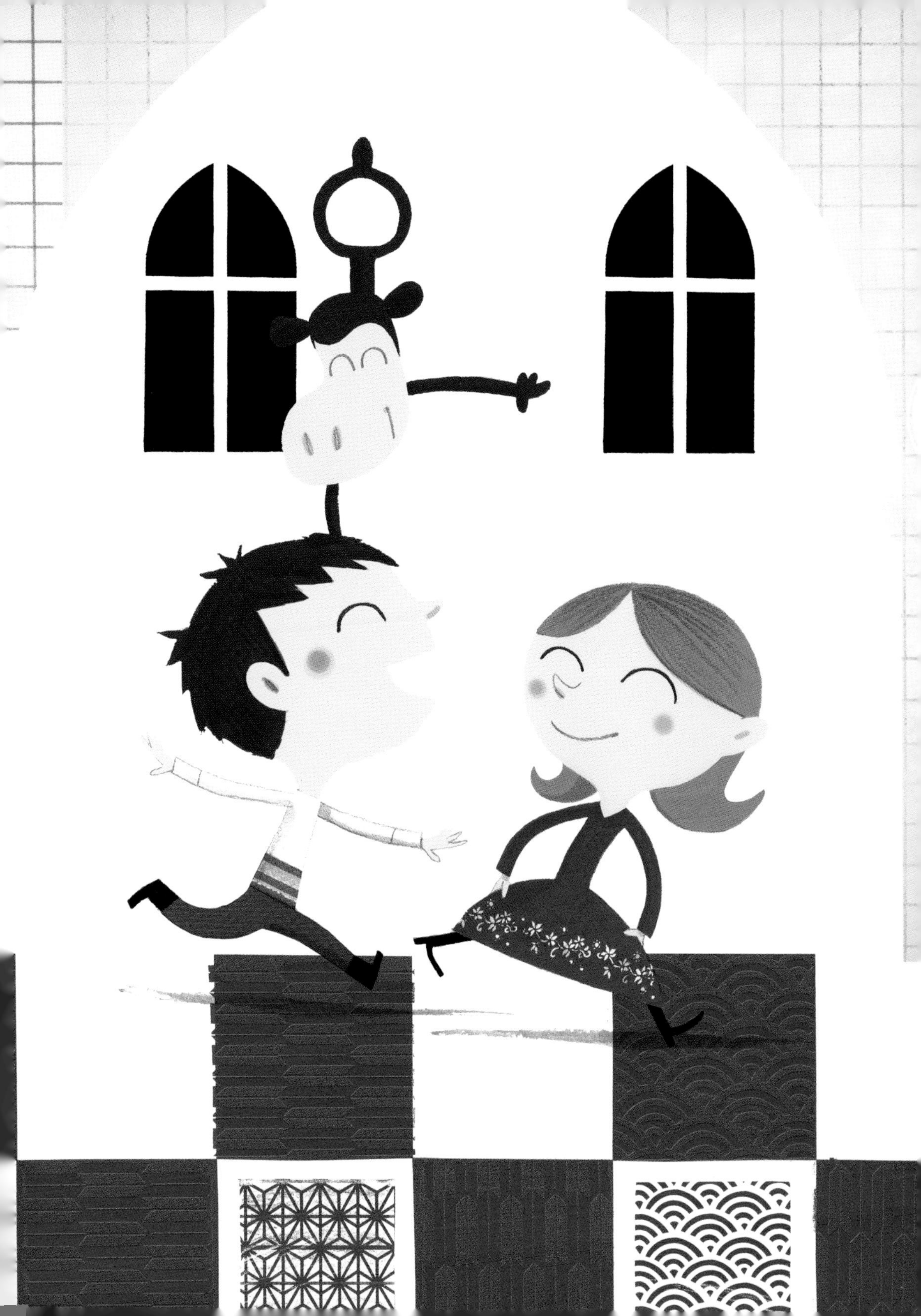

Puis il avait grandi. Maintenant, il était roi.
Il ne courait plus, ne sautait plus,
ne hurlait plus avec son petit bonobo,
et ne regardait plus Lola non plus.
Il essayait juste d'être un petit roi
bien comme il faut, et ça n'était pas si facile !

Chaque fois que le petit roi rencontrait
ses conseillers si polis, son petit bonobo
détachait la ceinture
qui tenait son épée.
Et devant les conseillers, la belle épée tombait avec fracas.
Et tous les conseillers riaient.
Et le petit roi se disait, désespéré :
« Jamais aucun des conseillers ne m'écoutera ! »

Lola, elle, ne riait pas. Elle ramassait l'épée
et la tendait au petit roi.
Sans la regarder, sans la remercier, le petit roi
prenait son épée et la replaçait au côté.

Chaque fois que le petit roi réunissait ses ministres si gentils,
son petit bonobo sautait sur sa tête et, d'une pichenette,
envoyait valser sa couronne.
Et devant les ministres, la belle couronne roulait.
Et tous les ministres riaient.
Et le petit roi se disait, atterré :
« Jamais aucun des ministres ne m'obéira ! »

Lola, elle, ne riait pas.
Elle retrouvait la couronne et la tendait au petit roi.
Sans un regard pour son amie, sans jamais un merci,
le petit roi prenait sa couronne et la replaçait
tout en haut de sa tête.

Chaque fois que le petit roi ouvrait le bal
devant les si jolies princesses, son petit bonobo
venait s'asseoir sur une de ses bottes bien cirées
et y déposait ses longs poils marron.
Et toutes les princesses riaient.
Et le petit roi se disait, humilié :
« Jamais je ne trouverai à me marier ! »

Lola, elle, ne riait pas.
Elle tendait un chiffon au petit roi.
Sans du tout regarder son amie,
elle qui était pourtant de loin la plus jolie,
le petit roi frottait et frottait ses belles bottes
jusqu'à ce qu'il se voie dedans.

Un jour de grande cérémonie,

le petit roi bien comme il faut avait tout fait comme il fallait :

il avait enfilé ses plus belles bottes et les avait cirées,

il avait posé sur sa tête sa plus belle couronne,

pleine de diamants et de brillants,

et il portait au côté son épée des grands jours,

la plus longue, la plus lourde de tout le palais.

Surtout, il avait interdit à son petit bonobo de l'accompagner.

Pensez ! Une si grande cérémonie, avec tous les ministres,

et tous les conseillers, et toutes les si jolies princesses !

Quand le petit roi arriva devant ses administrés,

tout le monde sourit :

il était propre, il était net, il brillait tant

qu'on aurait cru un beau petit soleil.

Cette fois, le petit roi se sentit

jusqu'au bout des ongles

un petit roi bien comme il faut !

Lola, elle, ne souriait pas :

elle ne reconnaissait plus son petit roi.

Quand le défilé commença,

le petit roi était au premier rang,

seul devant, sur le pont-levis, fier comme Artaban.

Le premier cheval passa, et tout le monde applaudit.

Le deuxième cheval passa, et tout le monde applaudit.

Quand le troisième cheval passa,

le premier conseiller leva le bras :

il voulait montrer la si belle crinière

à la jolie princesse à côté de lui.

Le cheval prit peur, fit un écart et il poussa le petit roi.

Le petit roi bascula par-dessus le parapet.
Il tomba dans l'eau et cria :
– Je me noie !

Personne ne bougea.
Ni les conseillers si polis, qui craignaient de mouiller
leur perruque. Ni les ministres si gentils, qui craignaient
d'abîmer leur costume. Ni les princesses si jolies,
qui aimaient le spectacle et, pour un peu,
auraient même applaudi.

Alors, le petit roi sentit qu'avec sa grosse couronne,
ses belles bottes et sa si lourde épée, il était un petit roi bien
comme il faut qui allait vraiment se noyer.

À côté de lui, soudain, quelqu'un plongea : c'était Lola.
Pour la première fois depuis si longtemps, il la regarda.
Elle nageait vers lui.
Entre deux vagues, surpris, le petit roi se dit
qu'elle était vraiment très jolie !

Puis, une petite main qu'il connaissait bien
détacha la ceinture qui retenait sa grande épée,
tandis qu'une petite tête repoussait sa couronne :
son petit bonobo était venu l'aider.
D'un coup, le petit roi se trouva léger
et comprit qu'il remontait.

Lola le traîna jusqu'à la berge
et le petit roi se dit qu'elle nageait drôlement bien.
Il se demanda comment il avait pu l'ignorer.

Assis dans la boue, le petit roi laissa son amie
lui retirer ses bottes qui n'étaient plus cirées du tout.
Et soudain, il se rappela que Lola avait toujours été là,
pour ramasser son épée, pour retrouver sa couronne
et pour lui tendre le chiffon.

Tout à coup, il se sentit tout bête.

Alors, il mit son petit bonobo sur sa tête,

prit la main de Lola et, jetant ses bottes au loin, il cria :

– Suffit, tout ça !

Si fort que, sur le pont-levis, tout le monde sursauta !

Depuis ce jour, le petit roi ne porte plus de couronne,
ni d'épée, ni de grandes bottes bien cirées.
Sur son épaule, il porte juste son petit singe,
qu'il a nommé ministre et conseiller.
Après tout, c'est lui qui l'a sauvé !
Les conseillers sont moins polis,
les ministres sont moins gentils, tant pis !

Et près du petit roi, il y a Lola, sa nouvelle reine,
la plus jolie, et qui chante et qui rit de nouveau avec lui.
Si fort qu'on les entend partout dans le pays !

La nouvelle chambre de Titou

Sylvie Poillevé, illustrations de Madeleine Brunelet

Titou aime sa chambre au papier bleu,
sa petite ferme pleine d'animaux
et son joli tableau où quatre éléphants
se suivent à la queue leu leu.

Titou aime se pelotonner dans son lit bateau
entre son lapin blanc et son petit agneau,
avec sa couverture aux légères vagues bleutées
bien remontée jusqu'au nez.

Mais ce que Titou aime par-dessus tout,
c'est le gros soleil rouge
qui se couche tous les soirs comme lui,
et semble lui dire bonsoir
de l'autre côté de sa fenêtre.

Alors Titou s'endort le sourire aux lèvres...

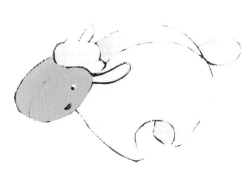

Rêve, Titou rêve…
de jouer à saute-mouton par-dessus le soleil
qui roule comme un ballon.

Rêve, Titou rêve…
du soleil doré, du soleil parfumé dans lequel,
comme dans une galette, il va croquer.

Mais ce matin, vite, vite,
il faut tout ranger : sa ferme,
son tableau, son lapin, son agneau !

Vite, vite, il faut tout mettre
dans de grands cartons
qui vont partir vers sa nouvelle maison.

Dans sa nouvelle maison,
sa chambre est plus grande,
mais il y a le même joli papier bleu,
toutes ses petites affaires qu'il aime.
Titou est heureux.

Il a bien son agneau, son lapin blanc...
Pourtant, catastrophe !
Pas de gros soleil rouge pour lui dire bonsoir
de l'autre côté de sa fenêtre.

La nuit est noire ! Quel cauchemar !
Où est parti le soleil ?
Titou se retourne mille fois
dans sa couverture aux légères vagues bleutées
avant de s'endormir épuisé.

Rêve, Titou rêve...
vilain rêve d'une course folle
derrière le soleil qui s'enfuit.

Quand Titou se réveille, triste et fatigué,
une belle surprise l'attend
de l'autre côté de sa fenêtre.

Un gros soleil rose vient de se lever !

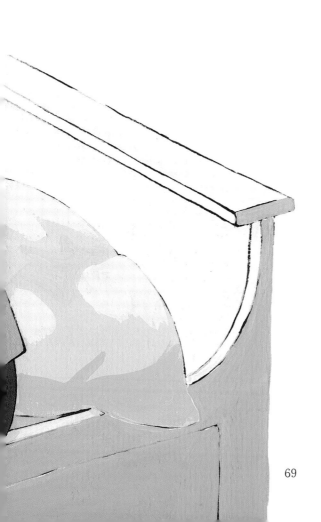

Je ne trouve pas le sommeil

Christine Féret-Fleury, illustrations de Mayalen Goust

Ce matin, pendant le petit déjeuner, Maman a dit à Papa :
– Je suis fatiguée. Cette nuit, je n'ai pas pu trouver le sommeil.

Pauvre Maman ! Elle avait dû courir dans toute la maison,
et peut-être dans le jardin, au bord de la rivière,
dans les ruines du vieux château, sur la pelouse du stade,
et le parking du supermarché, alors que le sommeil
était avec moi, bien au chaud, dans mon lit.

« Ce soir, ai-je pensé, je prendrai le sommeil et je le porterai
dans la chambre de Maman. »

La nuit est venue avec toutes ses étoiles
et le grand gâteau de la lune bien accroché dans le ciel,
mais le sommeil, lui, n'est pas venu.

Je l'ai attendu longtemps.
J'ai mis mes habits de pirate pour voyager avec lui
jusqu'au matin, et puis mon déguisement de fée
pour qu'il n'ait pas peur d'entrer.
Mais à la fin, comme il ne venait toujours pas,
j'ai décidé d'aller le chercher.

Il n'était pas dans le salon. Seul le chat rêvait devant le feu.

Il n'était pas dans la cuisine.
Mais quand j'ai voulu emmener Poum le chien
avec moi, pour suivre la piste du sommeil,
il n'a pas bougé, même une oreille.

Il n'était pas dans la buanderie.
Mais une famille de souris avait trouvé le fromage
que Maman gardait pour demain.

Il n'était pas dans la salle de bains.
Et Mireille la tortue ne l'avait pas vu passer.

Il n'était même pas dans le grenier
où j'avais très peur d'entrer.
Heureusement Antinéa l'araignée
gardait la porte,
personne n'aurait pu se faufiler.

Je l'ai cherché partout :
dans mon coffre à jouets...
et le placard de ma chambre...
sous l'escalier...
et dans la cheminée.

J'allais mettre mes bottes et ma veste pour sortir dans le jardin
quand j'ai senti que le sommeil venait de se poser,
très doucement, sur mes paupières.
Alors j'ai mis mes deux mains sur lui pour ne pas le laisser
s'échapper, et je l'ai emporté tout doucement
dans la chambre de Maman.
Ce n'était pas facile dans le noir !

Arrivés près du grand lit, le sommeil et moi étions si fatigués
que nous sommes restés là jusqu'au matin.

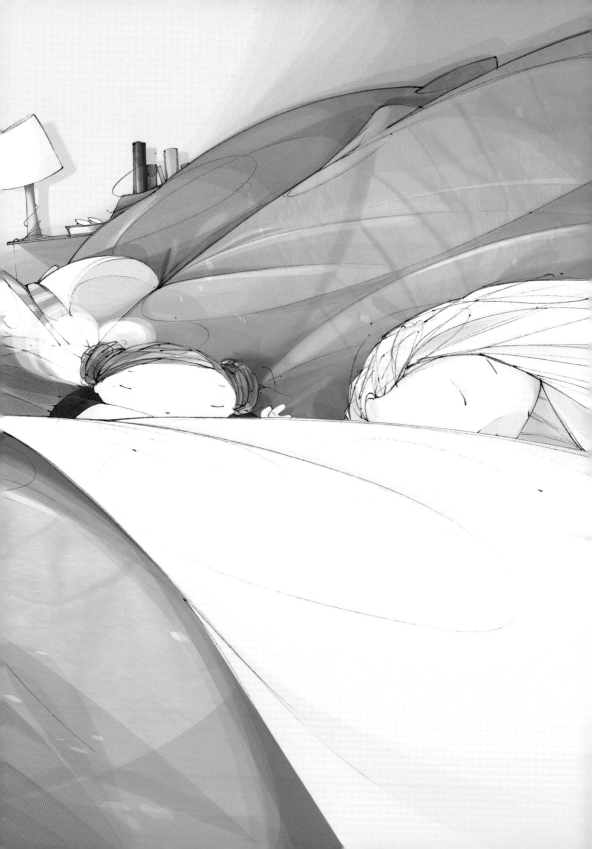

Ma maîtresse est une ogresse !

Sylvie Poillevé, illustrations de Laurent Richard

Aujourd'hui, c'est la rentrée !

Thomas est terrorisé, mais... pas question de le montrer !

Il rentre tout de même chez les grands !

Et un grand... ça n'a peur de rien !

Mais, chez les grands, il y aura

une nouvelle maîtresse justement.

Thomas panique...

Et si elle était méchante ?! Ce serait affreux, catastrophique !

Thomas boit lentement son chocolat au lait,

traîne pour s'habiller...

Mais ses parents le pressent : il faut y aller !

Devant l'école, tout le monde se retrouve
en attendant que les portes s'ouvrent.
Mais Thomas est trop inquiet pour s'amuser.
Il reste près de son papa et de sa maman
qui ont trouvé des amis à qui parler.
Les parents rient, les parents papotent et Thomas tremblote...

Loin au-dessus de sa tête, les mots s'envolent,
se mélangent, s'entrechoquent...
– Elle croque la vie à pleines dents ! dit l'un.
– C'est un monstre de travail ! dit l'autre.
Thomas sursaute.
Croque... Dents... Monstre...
A-t-il bien entendu ?

Mais bla-bla-bla... les parents continuent :
– Il paraît que cette maîtresse est toujours pleine d'allégresse !
Quoi ? Cette fois-ci, Thomas en est sûr ! Il a bien compris !
La maîtresse est une ogresse !
Oh ! là, là ! Thomas l'imagine déjà...
Gigantesque ! éléphantesque !
Et puis, et puis...

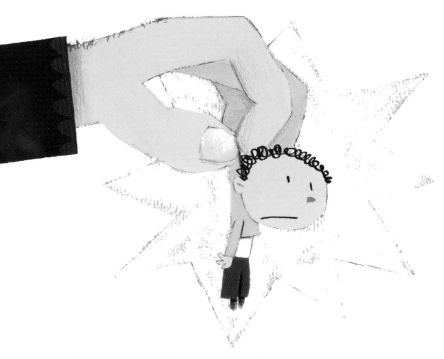

Thomas tremblote, et bla-bla-bla... les parents papotent.

– Ah! elle s'appelle madame Toucru?

Quoi? Elle va le manger tout cru!

Oh! là, là! Thomas s'imagine déjà prisonnier
de deux gros doigts velus.

Et puis, et puis...

Thomas tremblote, et bla-bla-bla... les parents papotent.

– Le programme? Elle n'en fera qu'une bouchée! dit l'un.

– C'est tout de même un changement dur à digérer! dit l'autre.

Quoi? Des enfants durs à digérer? Mais c'est évident,
si elle n'en fait qu'une bouchée!

Oh! là, là! Thomas l'imagine déjà...

Mais pourquoi, pourquoi ses parents ne s'inquiètent-ils pas?!

Thomas tremblote, tremblote, et bla-bla-bla...
les parents papotent, papotent.
– Elle adore les enfants ! Ils seront vraiment
aux petits oignons !
Quoi ? Elle adore les enfants, surtout avec des petits oignons ?
Berk ! Les oignons. Thomas a horreur de ça !
Oh ! là, là ! il imagine déjà...

Driiinng!

La cloche de l'école sonne! Les portes s'ouvrent.

Tout le monde s'avance en riant, en papotant.

Thomas est terrorisé, mais pas question de le montrer!

Il rentre tout de même chez les grands!

Et un grand, ça n'a peur de rien.

Thomas avance en traînant des pieds,

collé aux jambes de ses parents.

Péniblement, il monte les escaliers...

Les voilà arrivés!

Ses parents le poussent doucement devant eux,

et Thomas se retrouve nez à nez avec... une petite dame,

toute petite, toute menue, aux longues boucles rousses...

madame Toucru!

– Bonjour! lui dit-elle. Je suis ta nouvelle maîtresse!

Mon prénom est Isabelle. Et toi, comment t'appelles-tu?

Thomas est tellement surpris qu'aucun mot

ne sort de sa bouche.

– Il est trop mignon, mignon à croquer !
dit la maîtresse à ses parents.
Quoi ? À croquer ? Cette fois-ci, c'en est trop !
Thomas doit connaître la vérité !
– Alors, tu vas me manger ? demande-t-il
d'une voix étranglée.

La maîtresse sourit tendrement à Thomas,
lui prend les mains, s'accroupit près de lui, et chuchote :
– Tu sais, si les maîtresses mangeaient les enfants,
ça se saurait depuis longtemps !
Mais je vais te dire un secret.
Je suis une grande gourmande... de chocolat !

Ouf ! Le chocolat, Thomas adore ça !
Oh ! là, là ! il imagine déjà...

Le géant va venir ce soir...

Claire Clément, illustrations d'Élisabeth Schlossberg

Petit-Louis met ses bottes et son casque,
il prend son bouclier et son épée.
Il est le Chevalier Noir et, comme tous les soirs,
il attend le Géant.

Soudain...
Boum, boum, boum !
C'est le pas du Géant !
Il arrive, il est là !
Vite, Chevalier Noir se cache derrière la porte.

Le Géant ouvre la porte, il entre dans la maison,
il renifle à petits coups, il dit de sa grosse voix :
– Ça sent le Chevalier Noir...
Si tu es là, Chevalier Noir, montre-toi !

Derrière la porte, Chevalier Noir ne bouge pas.

Mais d'un grand coup de pied, le Géant ferme la porte.
Et voilà Chevalier Noir face au Géant !

– À l'attaaaaaqueeeuuuuu !

Le Géant se frotte les mains, tout content :
– Ho, ho, ho ! dit-il. Il y a un Chevalier Noir, là...
que je vais emmener dans mon pays, en Zizanie.
Allons, petit Chevalier Noir, viens par ici...

Chevalier Noir n'est pas d'accord. Ah ça, non !
Il pousse son cri de guerre :
– À l'attaaaaaqueeeuuuuu !

Et hop, il bondit... entre les jambes du Géant !
Il court, il court... Il connaît une cachette...
Ha, ha ! Bien malin qui le trouvera !

Dans sa cachette, Chevalier Noir rit comme une baleine :
– Ha, ha, ha ! Hi, hi, hi ! Ho, ho, ho !

Mais le Géant a l'oreille fine. Il s'approche de la cachette.
Chevalier Noir s'arrête de rire, il s'arrête de respirer...
Trop tard !

Le Géant l'a vu... Ho hisse !
Il tire Chevalier Noir, il le traîne jusqu'à lui !

Et hop là, il l'envoie en l'air !
Une fois, deux fois...

La troisième fois, Chevalier Noir pousse son cri de guerre :
– À l'attaaaaaqueeeuuuuu !

Il tire sur la barbe du Géant qui crie :
– Ouille, ouille, ouille !
Il tire sur ses cheveux :
– Aïe, aïe, aïe !

Le Géant ne se laisse pas faire. Ah ça, non !
Il met Chevalier Noir sur son épaule comme il porterait
un sac de pommes de terre, et il crie :
– C'est fini, c'est du tout cuit, en avant pour la Zizanie !

Chevalier Noir ne veut pas aller en Zizanie. Ah ça, non !
Il se tortille comme un serpent, et il glisse ses mains
sous le gros pull du Géant. On dirait des petites bêtes
qui se promènent partout, et qui chatouillent...
beaucoup, beaucoup !

Le Géant faiblit... il devient tout mou, il supplie à genoux :
– Pitié, non, pas ça, pitié...

Chevalier Noir n'a pas de pitié. Ah ça, non !
Il monte sur le dos du Géant. Alors ?
C'est qui le plus fort ?
C'est Chevalier Noir ou c'est Le Géant ?

Patatras !
Le Géant tombe par terre.
Il rit, il n'en peut plus.
Il est vaincu.

Alors Petit-Louis pousse un cri de victoire :
– Papa !

La sieste de Moussa

Zemanel, illustrations de Madeleine Brunelet

Couché dans son lit, Moussa est bien fatigué.
Ses yeux sont presque fermés.

Soudain il entend un bruit qui vient le déranger :
ça grignote et ça crie, c'est une souris.

Moussa se lève et lui demande gentiment :
– Veux-tu bien partir pour que je puisse dormir ?

Mais la souris refuse
et continue de crier et de grignoter.
Avec un bruit comme ça,
Moussa ne s'endort pas.

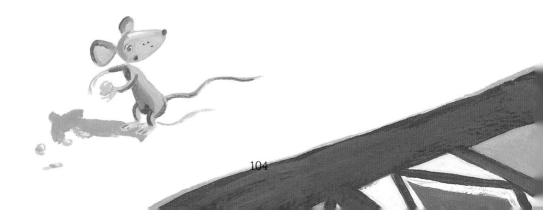

Il appelle alors son chat qui accourt à petits pas.
La souris disparaît aussitôt qu'elle le voit.

Moussa retourne dans son lit.
Mais il entend toujours du bruit :
ça ronronne et ça griffe,
c'est le chat qui s'étire sur son matelas.

Moussa se lève et lui demande gentiment :
– Veux-tu bien t'en aller
pour que je puisse me reposer ?

Mais le chat refuse et continue de griffer
et de ronronner. Avec un bruit comme ça,
Moussa ne s'endort pas.

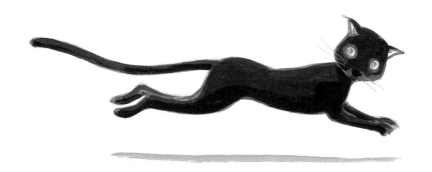

Il siffle alors son chien qui se poste à l'entrée.
Le chat s'enfuit par la fenêtre sans chercher à discuter.

Moussa retourne dans son lit.
Mais il entend toujours du bruit :
ça jappe et ça aboie,
c'est le chien qui mordille ses jouets en bois.

Moussa se lève et lui demande gentiment :
– Veux-tu bien aller te promener
pour que je puisse sommeiller ?

Mais le chien refuse et continue de japper
et d'aboyer. Avec un bruit comme ça,
Moussa ne s'endort pas.

Il demande alors l'aide du lion qui arrive en trois bonds.
Le chien décampe sans poser de question.

Moussa retourne dans son lit.
Mais il entend toujours du bruit :
ça remue et ça rugit, c'est le lion qui tourne en rond.

Moussa lui demande gentiment :
– Veux-tu bien aller chasser pour que je puisse me relaxer ?

Mais le lion refuse et continue de rugir et de tourner en rond.
Avec un bruit comme ça, Moussa ne s'endort pas.

Il fait alors appel à l'éléphant
qui s'approche à pas lents.
Le lion n'insiste pas et file comme le vent.

Moussa retourne dans son lit.
Mais un éléphant, même très sage,
cela fait beaucoup de bruit :
ça souffle et ça barrit,
ça écrase tout sur son passage.

Moussa lui demande gentiment :
– Veux-tu bien te pousser pour que je puisse respirer ?

Mais l'éléphant refuse et continue de barrir et de souffler.
Avec un bruit comme ça, Moussa ne s'endort pas.

Moussa ne sait plus quoi faire.
Alors il réfléchit et décide
de rappeler la petite souris.

L'éléphant se carapate
sans tarder, car chacun sait
que la terreur des éléphants
c'est la souris évidemment!

Moussa peut enfin commencer à rêver.
Il y a toujours des petits bruits de souris,
mais, comparés à des bruits d'éléphant,
ils sont beaucoup moins gênants!

Super Maman !

Claire Clément, illustrations de Philippe Diemunsch

La maman de Gabin l'a emmené à l'école.

Avant de le quitter, elle lui dit :

– Sois bien sage, mon Gabinou, et surtout ne t'inquiète pas,
je reviendrai à l'heure des mamans.

Au revoir, mon chéri !

Elle l'embrasse et hop, elle s'en va.

Gabin reste un long moment les yeux fixés sur la porte.
Il pense :
« Et si ma maman ne revenait pas ? »

Elle pourrait rencontrer la sorcière Abracadabra… ?
qui brandirait son bâton et transformerait sa maman
en grenouille, ou pire, en araignée !

Sauf que Gabin connaît bien sa super maman !
Elle enlèverait son écharpe et, ni une ni deux,
elle entortillerait la sorcière dedans avec son bâton en disant :
– Qu'est-ce que tu veux, espèce d'abracadabra farfelue ?
Tu crois que j'ai le temps ? Non, car j'ai mon petit qui m'attend !
Et elle partirait à toute vitesse.

La sorcière toute chamboulée marmonnerait :
– Elle est folle, cette maman…

Elle pourrait rencontrer le loup...?
qui ouvrirait grand sa gueule et s'approcherait de sa maman
pour la dévorer toute crue !

Sauf que Gabin connaît bien sa super maman !
Elle ouvrirait son parapluie d'un seul coup,
ça ferait schrooompf...
Elle le mettrait entre elle et le loup en disant :
– Qu'est-ce que tu veux, espèce de miam-miam tout poilu ?
Tu crois que j'ai le temps ? Non, car j'ai mon petit qui m'attend !
Et elle partirait à toute vitesse.

Le loup respirerait un grand coup en grognant :
– Elle est folle, cette maman...

Elle pourrait rencontrer le monstre...?
qui attraperait sa maman avec ses énormes griffes,
puis l'entraînerait dans sa grotte !

Sauf que Gabin connaît bien sa super maman !
Avec le talon de sa chaussure, elle piquerait le monstre,
aïe, ouille ! sur la queue, sur les pattes, et vlan,
en plein dans l'œil ! en disant :
– Lâche-moi, espèce de gros schnock toc-toc !
Tu crois que j'ai le temps ? Non, car j'ai mon petit qui m'attend !
Le monstre, occupé à se protéger, la lâcherait.
Et la maman partirait à toute vitesse.

Abasourdi, le monstre lécherait ses bobos en gémissant :
– Elle est folle, cette maman...

À l'école, c'est l'heure des mamans.

Et qui est là ? C'est la maman de Gabin !

– Maman ! s'écrie Gabin en se jetant dans ses bras.

Sa maman l'embrasse, et lui murmure dans un soupir :

– Ah, quelle journée, mon chéri ! Mets vite ton manteau,

car je n'ai pas le temps, j'ai le dîner qui m'attend !

Gabin sourit en regardant sa maman. Il se dit :

« Elle est trop forte, ma maman ! »

Car il a tout de suite remarqué qu'elle n'a plus ni son écharpe,

ni son parapluie, et qu'il manque un talon à sa chaussure.

Tiens, tiens...

Sais-tu pourquoi ?

Pour découvrir les merveilleuses histoires
du Père Castor !

 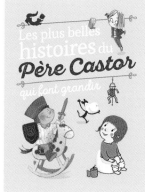